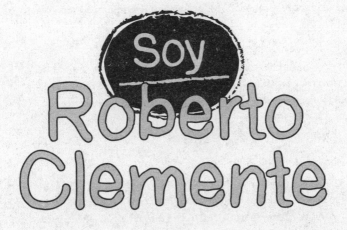

Soy
Roberto
Clemente

Jim Gigliotti

Ilustrado por
Ute Simon

SCHOLASTIC INC.

Originally published in English as *I Am Roberto Clemente*

Translated by Eida de la Vega

ISBN 978-0-545-70301-7

12 11   20/0

Printed in the U.S.A.   40
First Spanish printing, September 2014

Cover illustration by Mark Fredrickson
Interior illustrations by Ute Simon

Contenido

Introducción

Si me hubieras visto de niño en Puerto Rico, seguro tenía una pelota en las manos. Me la pasaba jugando béisbol con mis amigos o lanzando una pelota contra la pared de la casa de mi familia en Carolina, Puerto Rico, para atraparla después. Y si no estaba jugando béisbol, entonces estaba mirando a mis jugadores favoritos de la Liga Invernal de Puerto Rico. Desde que tengo memoria, yo quería ser jugador de béisbol, como ellos.

Cuando yo nací, en Estados Unidos a los jugadores negros no se les permitía jugar en las Ligas Mayores de Béisbol, a las que se les llama "grandes ligas". Pero en 1947, cuando yo era un adolescente, Jackie Robinson se convirtió en el primer jugador negro en entrar a jugar en las grandes ligas. Eso cambió las cosas para jugadores negros como yo.

Además de ser negro como Jackie Robinson, también era latinoamericano. (Jackie no era latinoamericano. Había nacido en Estados Unidos). Había muy pocos latinos negros jugando en las Ligas Mayores de Béisbol cuando yo entré en esa organización. Hablábamos español y, a veces, nos era difícil comunicarnos. Nos trataban mal, parecido a como trataban a los negros estadounidenses cuando empezaron a jugar en las grandes ligas.

Donde yo me crié, en Puerto Rico, no había reglas de que los negros no podían comer en el mismo lugar que los blancos. Pero cuando llegué a Estados Unidos, había ese tipo de reglas en algunas ciudades. ¡No podía creerlo! Y claro que no me gustaba. Yo creía que todas las personas, fueran latinas o no, merecían ser tratadas bien.

Llegué a las grandes ligas en 1955. A lo largo de mis dieciocho años de carrera, me convertí en uno de los mejores jardineros derechos de la historia de las Ligas Mayores de Béisbol. Yo era un bateador de buen promedio y poder, podía correr, jugar bien a la defensa y tenía buen brazo. Era lo que los cazatalentos de grandes ligas llaman un jugador con las cinco herramientas (o habilidades). Un jugador así es una rareza.

Creía que mi habilidad atlética era un regalo de Dios. También creía que si Dios me había dado ese regalo, mientras otras personas no tenían nada, yo debía ayudar a esas personas. Mi familia, en Puerto Rico, no era pobre, pero tampoco nos sobraba el dinero. Siempre traté de ayudar a la gente que no tenía lo necesario para vivir.

Más que nada, serví de inspiración a jugadores de béisbol latinoamericanos. Algunos grandes jugadores latinos que vinieron después de mí dicen que yo soy su Jackie Robinson. Yo no fui el primer latinoamericano en las grandes ligas, pero muchos dicen que fui el primer latino que se convirtió en una superestrella. Y fui el primer jugador latino en ser elegido al Salón Nacional de la Fama del Béisbol. Soy Roberto Clemente.

ROBERTO CLEMENTE WALKER
LIGA NACIONAL PITTSBURGH 1955-1972

MIEMBRO DEL EXCLUSIVO CLUB DE LOS 3.000 HITS. LIDERÓ
LA LIGA NACIONAL EN BATEO CUATRO VECES. TUVO DOS
TEMPORADAS CON 200 HITS O MÁS, Y UN PROMEDIO DE POR
VIDA DE .317 Y 240 CUADRANGULARES. GANÓ EL PREMIO AL
JUGADOR MÁS VALIOSO EN 1966. ESTRELLA DEFENSIVA CON
UN CAÑÓN COMO BRAZO. ESTABLECIÓ UNA MARCA PARA LA
LIGA NACIONAL COMO LÍDER EN ASISTENCIAS ENTRE LOS
JARDINEROS POR CINCO AÑOS. BATEÓ .362 EN DOS SERIES
MUNDIALES, BATEANDO IMPARABLES EN LOS 14 JUEGOS.

Gente que conocerás

ROBERTO CLEMENTE:
Jugador de béisbol de los Piratas de Pittsburgh de 1955 a 1972. Miembro del Salón de la Fama. También fue uno de los jugadores más humanitarios y una figura inspiradora para los latinoamericanos.

MONTE IRVIN:
Un gran jugador de béisbol cuando Roberto era niño. Los dos se hicieron amigos y Monte se convirtió en un ejemplo para Roberto.

LUISA CLEMENTE:
La madre de Roberto, el más joven de sus siete hijos. Ella quería que estudiara ingeniería.

MELCHOR CLEMENTE:
El padre de Roberto. Era capataz en los cañaverales de Puerto Rico.

PEDRÍN ZORRILLA:
El dueño de los Cangrejeros de Santurce, un equipo de la Liga Invernal de Puerto Rico. En 1952, le dio a firmar a Roberto su primer contrato de béisbol profesional.

ROBERTO MARÍN*:
Un vendedor de arroz que dirigía un equipo local en Carolina, Puerto Rico. Cuando Roberto tenía catorce años, le pidió que se uniera al equipo después de verlo en un juego de barrio.

AL CAMPANIS:
Un cazatalentos de los Dodgers de Brooklyn, un equipo de las Ligas Mayores de Béisbol. Presentó un informe brillante sobre Roberto a principios de la década de 1950. En 1954, los Dodgers le pidieron a Roberto que jugara en su equipo.

HOWIE HAAK:
Un cazatalentos de los Piratas de Pittsburgh, un equipo de las Ligas Mayores de Béisbol. En 1954, cuando Roberto pensó en renunciar, Howie lo convenció de seguir jugando.

VERA ZABALA:
La esposa de Roberto. También era de Carolina, Puerto Rico. Cuando Roberto y ella se casaron en 1964, en su pueblo lo celebraron por todo lo alto.

* Representación de la artista

Cronología

18 de agosto de 1934

Roberto Clemente nace en Carolina, Puerto Rico.

1952

Roberto juega béisbol profesional por primera vez cuando se une a los Cangrejeros de Santurce, un equipo de la Liga Invernal de Puerto Rico.

17 de abril de 1955

A los veinte años, Roberto juega por primera vez en las grandes ligas, con los Piratas.

25 de julio de 1956

Roberto batea un cuadrangular dentro del parque en la parte baja de la novena entrada, venciendo así a los Cachorros de Chicago.

1961

Roberto gana el primer Guante de Oro, al que seguirían otros doce, por su desempeño en el jardín derecho.

14 de noviembre de 1964

Se casa con Vera Zabala, en Carolina, Puerto Rico.

30 de septiembre de 1972

Roberto alcanza el *hit* 3.000 de su carrera contra Jon Matlack de los Mets de Nueva York, en la cuarta entrada de la victoria 5−0 de los Piratas.

3 de octubre de 1972

Roberto sale del banco para jugar en el jardín derecho contra San Luis, en su última aparición en un juego de la temporada regular.

19 de febrero de 1954

Roberto firma un contrato con el equipo de Ligas Mayores, los Dodgers de Brooklyn, y se une al equipo de ligas menores de los Dodgers en Montreal.

22 de noviembre de 1954

Roberto es reclutado por los Piratas de Pittsburgh y abandona a los Dodgers.

11 de julio de 1960

Roberto juega por primera vez en un partido Todos Estrellas de la Liga Nacional.

1960

Roberto batea al menos un *hit* en cada uno de los siete juegos de la Serie Mundial, al final de la cual los Piratas les ganan a los Yankees.

1966

Roberto gana la distinción al Jugador Más Valioso de la Liga Nacional.

24 de julio de 1970

Roberto es homenajeado con una Noche Roberto Clemente en el estadio Three Rivers de Pittsburgh.

1971

Roberto es nombrado Jugador Más Valioso en la victoria de los Piratas sobre los Orioles de Baltimore en la Serie Mundial.

31 de diciembre de 1972

Roberto muere en un accidente de aviación cerca de San Juan, Puerto Rico, mientras viajaba para llevar ayuda humanitaria a las víctimas de un terremoto en Nicaragua. Solo tenía treinta y ocho años.

6 de agosto de 1973

Roberto es admitido **póstumamente** en el Salón Nacional de la Fama del Béisbol.

Pasión por el béisbol

"¡Roberto!", llamaba su madre desde la casa de la familia en San Antón, un **barrio** del pueblo de Carolina, en Puerto Rico. "¡Hora de comer!".

Casi siempre la respuesta de Roberto era la misma. "¡Un momento! ¡Un momento!". A veces solo era "¡Momentito! ¡Momentito!".

Roberto decía ¡Momentito! tantas veces que su familia lo acortó y le gritaban ¡Momen! cuando alguien lo necesitaba. El apodo se le quedó y la familia de Roberto lo llamó Momen toda la vida.

Con mucha frecuencia, Momen no iba cuando lo llamaban porque estaba afuera jugando béisbol hasta que se ponía el sol. "Me olvidaba de comer por la pelota", dijo una vez.

El béisbol era el deporte más popular entre los niños de Puerto Rico cuando Roberto era pequeño. Por supuesto, también estaba el fútbol,

que es popular en todo el mundo. Roberto participaba en campo y pista, donde su rapidez lo hacía un buen velocista y donde la fuerza increíble de su brazo derecho le permitía destacarse en el lanzamiento de la jabalina. Pero el béisbol era la pasión de Roberto. Él y sus amigos del barrio en Carolina se sentían felices de jugar béisbol día y noche.

El béisbol se juega en Puerto Rico desde finales del siglo XIX. Los estadounidenses y los cubanos llevaron el juego a la isla, localizada en el mar Caribe, entre la República Dominicana y las Islas Vírgenes. Puerto Rico está a dos horas y media de vuelo de Miami, Florida.

Puerto Rico se convirtió en territorio de Estados Unidos después de la guerra hispano-estadounidense, que terminó en 1898. Antes de esa fecha, la isla pertenecía a España. Cristóbal Colón la reclamó para ese país cuando desembarcó allí en 1493. En 1508, llegó a la isla el famoso explorador Juan Ponce de León. Con el tiempo, estableció una colonia que llamó Puerto Rico. Ese puerto es ahora San Juan, la ciudad capital.

En el presente, Puerto Rico es territorio estadounidense. Pertenece a Estados Unidos, pero no es un estado. Sus ciudadanos son ciudadanos estadounidenses, pero el idioma primario de Puerto Rico es el español.

Carolina es una ciudad en la parte norte de Puerto Rico. Está a unas doce millas al sureste de San Juan, que está en la punta norte de la isla. En 1935, poco después de que Roberto naciera, Carolina tenía cerca de 21.000 habitantes, de acuerdo al censo de Estados Unidos. Actualmente tiene más de 176.000.

Hoy en día, Puerto Rico es un popular destino turístico, especialmente para los residentes estadounidenses. Los visitantes se maravillan de la belleza de sus playas y sus paisajes naturales. Van de vacaciones para bucear o para explorar la historia cultural de la isla.

Sin embargo, cuando Roberto era pequeño, Puerto Rico estaba compuesto más que nada de comunidades **rurales**. Muchos de los hombres de Carolina trabajaban en los campos de caña. Pasaban días largos y calurosos bajo el sol cortando caña con sus **machetes**.

Carolina, 1935

Momen nació el 18 de agosto de 1934 en Carolina, hijo de uno de esos trabajadores azucareros. Lo llamaron Roberto Clemente Walker. En muchas culturas hispanas, el nombre legal de un niño incluye los apellidos del padre (en el caso de Roberto, Clemente) y de la madre (Walker).

Melchor, el padre de Roberto, era capataz en los cañaverales. Su madre, Luisa, se levantaba temprano para prepararles el almuerzo a Melchor y a los trabajadores en los campos. Los hombres tenían que comenzar el trabajo en cuanto hubiera suficiente luz para adelantar lo más posible antes de que el sol fuera demasiado fuerte.

Luisa tenía un hijo, Luis, y una hija, Rosa, de un matrimonio anterior. Después que murió su primer esposo, Luisa se casó con Melchor y tuvieron cinco hijos, incluyendo cuatro varones: Osvaldo, Justino, Andrés y Roberto. Su hija,

Anairis, tenía cinco años cuando murió en un incendio. Roberto era el más pequeño.

La familia era importante para Roberto. Aunque la familia Clemente no tenía mucho dinero, Roberto recordaba con alegría las noches en casa. Comían, hablaban y bromeaban entre sí. "Para mí, era algo maravilloso", decía.

Roberto iba a la escuela. Tenía muchos amigos. A veces, ayudaba a su papá en los campos de caña. Pero lo que más le gustaba era jugar béisbol. Incluso cuando no estaba jugando, siempre llevaba encima una pelota. La lanzaba contra una pared o la tiraba al aire y la agarraba.

No siempre se trataba de una pelota de verdad. Roberto nació en la década de 1930.

Estados Unidos atravesaba la Gran Depresión, y la vida era dura en muchos lugares del mundo. La familia Clemente se podía considerar afortunada. Melchor tenía un trabajo decente, y podía cubrir las necesidades de su familia.

El equipamiento para jugar béisbol era otra historia. Eso era un lujo. Así que Roberto hizo lo que hacían montones de niños. Una bola de trapos era casi tan buena como una pelota de béisbol. Y un palo de escoba viejo hacía bastante bien de bate. A veces, una rama de **guayabo** era un bate y una lata aplastada, una pelota. ¡Imagina lo buen bateador que tenía que ser Roberto para darle a una lata con un palo de escoba!

No le molestaba jugar con equipo **improvisado**. Roberto estaba contento de tener comida en la mesa y ropa encima. "Yo crecí con gente que de verdad tenía que luchar para comer", decía.

Es por eso que Roberto nunca le dio la espalda a los necesitados, incluso después de convertirse en una estrella de béisbol en Estados Unidos. Esa es también la razón por la que Roberto apreciaba el valor del dinero y del trabajo duro.

Es fácil imaginarse a Roberto montando bicicleta por Carolina para encontrarse con amigos y jugar béisbol. Una vez jugaron un

partido que duró todo el día, y Roberto bateó diez jonrones.

Otra vez, cuando Roberto tenía catorce años, a un hombre llamado Roberto Marín le llamó la atención lo lejos que Roberto bateaba la pelota y lo rápido que corría. Le pidió a Roberto que jugara en un equipo que él dirigía. No era exactamente de béisbol. Era de *softball*, que se juega con una pelota más grande (¡que no es

Durante la Gran Depresión, el dinero escaseaba, pero el béisbol sobrevivió. Los aficionados siguieron siendo leales a sus equipos, aunque no tuvieran mucho dinero para ir a los juegos. La asistencia a los juegos de Ligas Mayores, que había marcado un récord a fines de la década de 1920, había caído en picada.

Algo bueno salió de eso. Los equipos de grandes ligas tenían que ser creativos para avivar el interés, así que empezaron a transmitir los juegos en vivo por la radio. Para atraer gente a los estadios, hicieron promociones como el Día de las  Damas. Y la mayor **innovación** fue que los equipos empezaron a jugar por la noche. El primer juego de grandes ligas bajo luces fue en 1935, cuando los Rojos de Cincinnati recibieron a los Filis de Filadelfia en el estadio Crosley.

nada suave!) en un terreno más pequeño. Y era un equipo local patrocinado por Sello Rojo, una empacadora de arroz, no un equipo profesional. Pero aun así, Roberto estaba feliz. Era la primera vez que jugaba en una liga organizada.

Sueños de grandes ligas

El joven Roberto se trepó a un árbol afuera del estadio Sixto Escobar, en San Juan, Puerto Rico. El estadio se llamaba así por un campeón mundial de boxeo, pero Roberto estaba ahí por el béisbol. Su equipo preferido, los Senadores de San Juan, jugaba con su rival, los Cangrejeros de Santurce.

A Roberto le gustaba mirar los jugadores profesionales en Puerto Rico y soñar con convertirse en uno de ellos. Los Senadores jugaban en la Liga Invernal de Puerto Rico. En los meses de invierno, cuando había frío en casi todo Estados Unidos, pero el tiempo todavía era cálido en el Caribe, los jugadores profesionales de las Ligas Mayores y de las Ligas Negras **emigraban** a Puerto Rico. Libres del frío, podían seguir jugando béisbol para mantenerse en forma y prepararse para el entrenamiento de primavera.

A Roberto le costaba diez centavos tomar el autobús hasta el estadio, pero no siempre tenía otros quince centavos para pagar la entrada. Por eso, se trepaba a un árbol para mirar lo que pasaba dentro. La verdad es que no veía a los jugadores tan cerca, pero la vista del jardín no era mala. Y era ahí donde estaba su jugador preferido, Monte Irvin, de los Senadores.

Monte era una estrella de las Águilas de Newark, un equipo de la Liga Nacional Negra. Empezó a jugar béisbol de invierno en Puerto Rico en la década de 1940, cuando Roberto aún era un niño, y le causó una profunda impresión a Momen. A veces, antes de subirse al árbol, Roberto se paraba en la entrada de los jugadores para ver a Monte y a sus compañeros cuando pasaban.

Un día, Monte se fijó en Roberto y le preguntó: "¿Me quieres cargar la bolsa?". ¡Por supuesto que sí! Roberto estaba encantado de ayudar a su ídolo. Monte no necesitaba que le llevaran la

bolsa, pero lo hacía para que Roberto pudiera entrar gratis al estadio.

Así empezó una larga amistad. Monte le pidió muchas veces a Roberto que le cargara la bolsa. De adolescente, Roberto soñaba con ser algún día una estrella como Monte. La mamá de Roberto también soñaba que algún día su hijo sería un hombre exitoso, pero no como jugador de béisbol. Ella quería que fuera ingeniero. A veces le parecía que Roberto pasaba demasiado tiempo jugando béisbol. Y un día en que él se metió en problemas, ella empezó a quemarle el bate como castigo. "Lo saqué del fuego y lo salvé", diría más tarde Roberto.

Afortunadamente, Roberto salvó el bate, porque ya su habilidad para manejarlo había llamado la atención. Cuando Roberto tenía dieciséis años, se unió a un equipo de béisbol *amateur* llamado los Mulos de Juncos. Fue cuando jugaba con los Mulos que Pedrín Zorrilla se fijó en él.

Pedrín era el dueño de los Cangrejeros de Santurce en la Liga Invernal de Puerto Rico. Se enamoró del béisbol en un viaje que dio a Estados Unidos en la década de 1910. Pedrín era una de las figuras más importantes del béisbol en Puerto Rico. Un amigo suyo le sugirió que fuera a ver jugar a Roberto. En 1952, Pedrín lo vio en

un juego de los Juncos. Enseguida le ofreció su primer contrato profesional. A los dieciocho años, Roberto ganaba cuarenta dólares semanales por hacer lo que más le gustaba.

Mientras tanto, Pedrín hacía amigos en las Ligas Mayores de Béisbol. Uno de ellos era Al Campanis, cazatalentos de los Dodgers de Brooklyn. Al, que había sido jugador también, visitó Puerto Rico por primera vez en 1950 para organizar un campamento de béisbol en la ciudad de Aguadilla. "Allí están locos por el béisbol", le dijo a un reportero que lo entrevistó cuando regresó a Estados Unidos.

Al se convirtió pronto en un figura respetada en el Caribe. Hablaba español y desarrolló una gran **afinidad** con los jugadores latinoamericanos, a varios de los cuales contrató para que jugaran con los Dodgers. Uno de ellos, el cubano Edmundo "Sandy" Amorós, fue una estrella del equipo de Brooklyn en la Serie Mundial de 1955.

Poco después de que Roberto firmara el contrato con el Saturce, Pedrín se puso de acuerdo con Al para organizar una demostración de habilidades en el estadio Sixto Escobar. Era como una audición para obtener un contrato profesional. Se presentaron setenta y dos jugadores, pero el único que le llamó la atención a Al fue Roberto. Incluso antes de que le tocara batear, ya Al estaba asombrado de su habilidad para lanzar y su velocidad.

Roberto todavía estaba en la secundaria, así que un contrato en las Ligas Mayores tendría que esperar. Mientras, se pasó casi toda la temporada de 1952 sentado en el banco

del Santurce. No jugaba mucho porque los Cangrejeros ya tenían varias estrellas, y el club quería que él aprendiera de los jugadores mayores del equipo. Pero Roberto ya estaba listo en su segunda temporada. Conectó sesenta y tres *hits* en sesenta juegos y jugó un gran juego defensivo.

En 1954, los Dodgers contrataron a Roberto: un bono de $10.000 y un salario de $5.000. A los diecinueve años empezó su carrera en las ligas menores. Las ligas menores son niveles diferentes de béisbol profesional en los cuales se entrenan y adquieren experiencia jugadores potenciales de las Ligas Mayores. Casi todos los equipos de ligas menores trabajan con un equipo específico de Ligas Mayores. El equipo de ligas menores más importante de los Dodgers en esa época era los Reales de Montreal de la Liga Internacional. Roberto iba de camino a Canadá para unirse a los Reales.

Las Ligas Negras

Hasta 1947, las Ligas Mayores de Béisbol tenían una "barrera del color" no oficial. Aunque no existía una regla oficial, los jugadores negros no eran bienvenidos, de modo que jugaban en sus propias ligas, llamadas las Ligas Negras.

Las Ligas Negras incluían varias ligas diferentes y la más famosa era la Liga Nacional Negra. La Liga Nacional Negra original empezó en 1920 cuando Andrew "Rube" Foster organizó los clubes de béisbol negros en el Medio Oeste. Por ello, Foster se ganó la distinción de "Padre del Béisbol Negro".

A mitad de la década de 1930, el equipo más famoso de las Ligas Negras era los Crawfords de Pittsburgh. Los Crawfords contaban con el legendario lanzador Leroy "Satchel" Paige, que lanzó en las Ligas Mayores hasta los cuarenta y siete años, sin contar un juego para los Atléticos de Kansas City en 1965, ¡con cincuenta y nueve años!

La alineación de los Crawfords también incluía

al receptor Josh Gibson. Era tan bueno al bate que a veces le decían "el Babe Ruth negro". El veloz jardinero James "Cool Papa" Bell era quizás el hombre más rápido que ha habido en el béisbol profesional.

Jackie Robinson, jugador de cuadro, que en 1945 jugó para un equipo de las Ligas Negras, los Monarcas de Kansas City, rompió la barrera del color cuando se unió a los Dodgers de Brooklyn en 1947. A medida que los jugadores negros entraban en las Ligas Mayores de Béisbol, las Ligas Negras se fueron disolviendo y los últimos partidos se jugaron a principios de la década de 1960. Todavía se las recuerda en el Museo de las Ligas Negras de Béisbol en Kansas City, Missouri.

CAPÍTULO
TRES

Choque
cultural

Roberto se bajó del avión en Montreal y entró en un mundo completamente diferente. Un compañero de equipo dijo más tarde que había sido como entrar a "una dimensión cultural desconocida para él".

Montreal está en la provincia de Québec, cuyos residentes hablan inglés o francés. Roberto hablaba un poquito de inglés y nada de francés.

Y encima, estaba el clima. En los seis meses de la temporada de béisbol (de abril a

septiembre), la temperatura promedio en Montreal es de sesenta y nueve grados. Era un cambio muy grande para un hombre que estaba acostumbrado al calor de San Juan, donde la temperatura promedio alcanza casi los noventa grados en el verano.

Roberto no socializaba mucho con sus compañeros porque le era difícil comunicarse con ellos. Sí se hizo amigo del torpedero Chico Fernández, que era de Cuba. Pero cuando Roberto llegó a Montreal, Chico era el único jugador caribeño del equipo. Roberto y Chico a veces andaban con Joe Black, un lanzador afroamericano que ya había jugado varias temporadas con los Dodgers de Brooklyn y estaba tratando de volver a las Ligas Mayores. Joe sabía un poco de español y les contaba sobre la vida en las grandes ligas.

Un jugador blanco norteamericano llamado Tommy Lasorda también hablaba un poco de español. Tommy era lanzador de los Reales. Más tarde se haría famoso como el director de los Dodgers de Los Ángeles desde la década de los 70 hasta los años 90. Tommy y Roberto salían a restaurantes y Tommy ayudaba a Roberto a entender el menú en inglés.

Eso ocurría cuando salían en Montreal, o en ciudades como Toronto, también en Canadá, o Buffalo, en Nueva York. Sin embargo, en 1954, Roberto a veces tenía que ir a jugar al sur de Estados Unidos, donde todavía existían las leyes Jim Crow, que imponían la **segregación** legal en lugares públicos. Cuando Roberto viajó a Richmond, Virginia, a jugar contra los Virginianos de Richmond, se enfrentó a la segregación por primera vez. No podía entenderla. En Puerto Rico, Canadá y Nueva York, los jugadores negros y blancos comían en los mismos restaurantes y jugaban en los mismos partidos. En Montreal, Chico y él vivían en la

casa de una familia blanca. Sin embargo, en
Richmond, no podían alojarse en el mismo hotel
que sus compañeros blancos y no podían comer
en los mismos lugares.

También le era difícil entender por qué casi
no estaba jugando béisbol. Se sentía confundido
y frustrado porque había jugado poco para los
Reales y se había pasado casi todo el tiempo
en el banco.

Una vez, lo sacaron del juego con las bases
llenas, y llamaron a un bateador emergente para

que bateara. ¡Y solo estaban en la primera entrada! En otra ocasión, los entrenadores dejaron a Roberto en el banco, aunque había bateado tres triples el día anterior. En una serie de seis juegos en La Habana contra el equipo cubano en la Liga Internacional, Roberto no jugó un solo juego.

Roberto no entendía por qué no pasaba más tiempo en el terreno jugando el deporte que adoraba. Cuando los Dodgers lo reclutaron, le

pagaron una prima grandísima. Pero al parecer, los Reales no lo querían. Roberto no lo entendía: ¿Acaso no estaba jugando tan bien? ¿Qué sucedía?

Roberto estaba tan frustrado que decidió darse por vencido. Hizo sus maletas y se preparó para ir al aeropuerto. Regresaría a Puerto Rico antes de que se terminara la temporada. Se habían acabado sus sueños de grandes ligas.

Afortunadamente, un cazatalentos de los Piratas de Pittsburgh le echó el guante antes de que se marchara al aeropuerto. Se llamaba Howie Haak (se pronuncia "jeik"). Howie le explicó lo que pasaba. No era que Roberto no estuviera jugando al nivel de los Reales, sino todo lo contrario. ¡Era demasiado bueno!

Howie le explicó que los Dodgers sabían que podía ser un gran jugador. Pero ya tenían varios jardineros excelentes al nivel de grandes ligas en Brooklyn. Así que esperaban que si Roberto no jugaba mucho, otros equipos no se darían cuenta de lo talentoso que era. Si otro equipo se daba cuenta, podría reclutarlo durante la Regla #5, un reclutamiento especial de jugadores de las ligas menores, que ocurre al final de la temporada.

Pero Howie y los Piratas de Pittsburgh ya habían detectado a Roberto. Howie le dijo que los Piratas planeaban escogerlo durante la Regla #5. En la siguiente temporada, Roberto estaría jugando en las grandes ligas. Solo tenía que ser paciente.

Así que Roberto regresó a los Reales. Terminaría la temporada con ellos y esperaría a que los Piratas lo reclutaran. Actuó lo mejor que pudo el resto de la temporada. Pegó tres *hits* en un juego contra Syracuse. Y pegó otros tres *hits* en una blanqueada al Richmond. Luego, en un partido en agosto, Roberto selló la victoria 8-7 de los Reales sobre Toronto. Desde el jardín derecho, lanzó al plato la pelota que sacó *out* al corredor que iba a empatar el juego.

Después de la temporada, Howie cumplió su promesa. Los Piratas escogieron a Roberto durante la Regla #5. Roberto haría su **debut** en las grandes ligas en Pittsburg en 1955. Se moría de ganas.

A fines de 1954, Roberto regresó a jugar con el Santurce en la Liga Invernal de Puerto Rico. Todo el invierno se lo pasó pensando en que iba a estar en las grandes ligas en 1955.

CAPÍTULO CUATRO

A las grandes ligas

En marzo de 1955, Roberto acudió a su primer entrenamiento de primavera con los Piratas de Pittsburgh. El entrenamiento de primavera es cuando los equipos de las grandes ligas se ejercitan y se preparan para la temporada, jugando partidos que no cuentan para la temporada regular. A mitad de la década de 1950, los Piratas, como casi todos los equipos de las Ligas Mayores, llevaban a cabo su entrenamiento de primavera en la Florida.

Roberto estaba emocionado de unirse a los Piratas, pero no le gustaban algunas cosas del entrenamiento de primavera. Como en Virginia, el año anterior, Roberto tropezó en la Florida con las leyes Jim Crow. Cuando llegó a Fort Myers, donde entrenaban los Piratas, se enteró de que no podía quedarse en el hotel del centro donde se quedaban casi todos los Piratas. Él y otros jugadores morenos tenían que quedarse en un hotel al otro lado del pueblo. Tampoco podían comer en los mismos restaurantes que los jugadores blancos.

Eso era una **injusticia**. Y a Roberto le molestaban las injusticias. Estaba sorprendido, triste y enojado en la Florida.

A veces, los jugadores blancos entraban a un restaurante mientras los negros esperaban en el autobús. Los jugadores blancos les preguntaban si querían algo de comer. Pero una vez, Roberto se cansó de ese tratamiento. Le dijo a uno de

los jugadores que se habían quedado en el autobús que él nunca aceptaría nada de un restaurante que trataba a la gente así, y que si los otros jugadores lo aceptaban, se pelearía con ellos, porque él sentía que no era una cosa justa.

Pero Roberto no permitió que esto afectara su juego en el terreno. Su promedio de bateo esa primavera era de casi .400. El promedio de bateo es el número de *hits* que logra un jugador dividido por el número de veces al bate. Así que tres *hits* en diez veces al bate equivalen a un promedio de bateo de .300. Un promedio de bateo de .300 o mejor se considera excelente, así que el promedio de .400 que logró Roberto esa primavera era magnífico. Roberto les demostró al director y a sus compañeros de equipo lo estupendo que era su brazo lanzando y el jugador tan fantástico que podría llegar a ser.

Eso era excelente para los Piratas. Estaban contentos de tener a Roberto en el equipo. En 1954, los Piratas habían terminado en el último lugar de la liga por tercera temporada consecutiva, y probablemente volverían a situarse en el último lugar en 1955, ¡con o sin Roberto! Pero se daban cuenta de que él tenía potencial para convertirse en un excelente jugador. Cuando Roberto regresó a Pittsburgh después del entrenamiento de primavera, estaba listo para su primera temporada en las grandes ligas.

Fuera del entrenamiento de primavera,

Roberto enfrentó la mayor **discriminación**, no de los aficionados ni de los otros jugadores, sino de los medios. A los reporteros les chocaba el fuerte acento con el que Roberto hablaba inglés o la forma **única** que tenía de hacer las cosas. Por ejemplo, tenía el hábito de estirar y dar vueltas a los hombros antes de batear. Algunos miembros de la prensa se burlaban de su forma de hablar. En los periódicos, les gustaba hacerlo sonar estúpido, lo cual estaba muy lejos de la verdad.

Y, al principio, algunos jugadores de los Piratas no sabían cómo acercarse a su nuevo

compañero. Roberto hablaba un idioma que la mayoría no hablaba. Era callado fuera del terreno y se concentraba mucho cuando jugaba. Pero un compañero del que Roberto se hizo amigo enseguida fue otro **novato**, Román Mejías. Román también era jardinero y era de Cuba. Incluso compartieron un lugar donde vivir antes de que Roberto se mudara con una familia que tenía una habitación para alquilar en Pittsburgh.

La familia, una pareja afroamericana sin hijos, le brindó a Roberto un hogar en una

ciudad que era muy diferente de la suya. No había una gran población negra en Pittsburgh en esa época, y había aún menos ciudadanos que hablaran español.

Pero aunque los medios y los compañeros de equipo no entendieran bien a Roberto, el público sí sabía a qué atenerse. Enseguida aceptaron el estilo de Roberto. Les gustaba que jugara con ahínco en cada partido y volara de primera a tercera con un sencillo a los jardines. Y les gustaba la forma en que hacía atrapadas espectaculares que convertían posibles dobles o triples del equipo contrario en *outs*. Era un rayo de luz en una serie de deprimentes temporadas para los Piratas.

En un partido en Pittsburgh, en 1956, Roberto salió a batear contra los Cachorros de Chicago. Los Piratas perdían 8-5, con dos *outs* en la parte baja del noveno, pero tenían las bases llenas.

Roberto bateó la pelota hacia el extremo del jardín izquierdo. La bola chocó contra el poste de *foul*, pero por debajo de la parte superior de la cerca. ¡Bola buena! La pelota rodó por la zona de aviso hacia el jardín central, lejos del jardinero izquierdo. Anotaron una carrera. Anotaron dos. Anotaron tres carreras. Y entonces, vino Roberto doblando por tercera y dirigiéndose a *home*.

El director de los Piratas, Bobby Bragan, que además era el *coach* de tercera, levantó las manos y le gritó a Roberto "¡Alto! ¡Alto!". Pero Roberto siguió disparado hacia *home*, con la cabeza agachada. Roberto y el tiro al receptor llegaron al mismo tiempo al plato. Roberto se deslizó...

¡quieto! Los Piratas ganaron 9-8. Fue el primer –y el único– jonrón dentro del parque con bases llenas que ha dejado al campo al equipo contrario en la historia de las Ligas Mayores.

Ese mismo año, en otro partido, Roberto corrió desde primera hasta *home* para anotar con un sencillo que apenas llegó a la hierba del jardín derecho. Ese era el tipo de emociones que Roberto aportaba al equipo. Aun así, los Piratas continuaban en dificultades y terminaron en último lugar en 1955 y en penúltimo en 1956 y en 1957. Pero en el verano de 1957, Danny Murtaugh entró como director. Había visto a Roberto durante su temporada de novato y pensaba que estaba destinado a ser uno de los grandes jugadores de todos los tiempos.

Roberto, además de tener talento natural, era muy inteligente. Después de entrar a las Ligas Mayores, observó que Forbes Field, el parque de los Piratas, era muy grande. Sabía que no podría batear muchos jonrones ahí. De modo que se concentró en batear líneas. Aun así, bateó 240 jonrones en toda su carrera. Sin embargo, solo 83 fueron en Forbes Field.

Los grandes espacios del parque de los Piratas le permitieron mostrar la potencia de su brazo. Casi al principio de su carrera, Roberto sacó *out* al lanzador Harvey Haddix, lanzando la bola desde el jardín a *home*. Estaba a más de 400 pies cuando lanzó la pelota. Los corredores aprendieron pronto a no poner su brazo a prueba.

Aunque era excelente en defensa, fue su bateo lo que le ganó un lugar en su primer partido Todos Estrellas en 1960. Estaba en su sexta temporada en las grandes ligas y solo tenía veinticinco años en la jornada inaugural de ese año. Roberto terminó esa temporada con los mejores números de su carrera hasta el momento: un promedio de bateo de .314, dieciséis jonrones y noventa y cuatro carreras impulsadas.

(A un jugador le anotan carreras impulsadas [CI] cuando sus batazos provocan que su equipo anote carreras).

Y lo mejor era que los Piratas por fin estaban ganando. Después de muchos años en los últimos lugares de la Liga Nacional, Pittsburgh terminó en segundo lugar en 1958. En 1959, los Piratas quedaron en cuarto. Y en 1960, se esforzaron al máximo para terminar de primeros en la liga.

Y, por último, los Piratas vencieron 4-3 a los poderosos Yankees de Nueva York en la Serie

Mundial. Eso fue tremendo. En la parte baja de la novena entrada del último partido de la serie, el segunda base de los Piratas, Bill Mazeroski conectó uno de los jonrones más famosos de la historia del béisbol.

La hazaña de Bill desencadenó el júbilo. Era la primera victoria de los Piratas en una Serie Mundial desde 1925. Roberto jugó un papel importante en la victoria, ya que conectó al menos un *hit* en cada partido y su promedio de bateo fue de .310.

El orgullo de Pittsburgh

La mayor emoción de Roberto en esa temporada de 1960 no fue ganar la Serie Mundial. Fue salir caminando del estadio después del último juego y ver a miles de aficionados celebrando en las calles. Fue algo indescriptible, según contó. No se sentía como un jugador, sino como uno de los aficionados. Caminaba con ellos por las calles, les hablaba y celebraban la gran victoria del equipo.

Desde el principio, los aficionados de los Piratas se habían enamorado de Roberto. Por supuesto, al principio les chocó un poco que fuera un hombre negro que hablaba español. Pero él siempre era amable, hablaba con los aficionados y, después de cada partido, firmaba todos los autógrafos que le pedían.

Por supuesto, no todos los jugadores lo hacían. Algunos estaban casados y querían llegar pronto a casa para ver a su familia. Durante la mayor parte de su carrera, Roberto no tenía familia en Pittsburgh. Algunos jugadores querían ir a divertirse por la noche. Pero a Roberto eso no le

atraía. Además, recordaba que él, cuando era niño, esperaba en el estadio la oportunidad de ver a sus héroes. Ahora, él era uno de esos héroes.

Una vez, un *foul* cayó en las gradas del jardín derecho del Forbes Field. Un niño trató de atrapar la pelota, pero un hombre se la arrebató. Roberto vio que el niño lloraba. En la siguiente entrada, cuando Roberto fue a ocupar su lugar en el terreno, trajo una pelota nueva para el niño y le dijo "Aquí tienes una pelota en lugar de la que te arrebataron".

Los aficionados lo querían mucho por su bondad. Y cuando Roberto iba al bate, les encantaba su forma de batear. Roberto fue el mejor bateador por amplio margen de la Liga Nacional en la década de 1960. Bateó un promedio de .328 entre 1960 y 1969. El jugador que lo seguía en la liga tenía un promedio de .312. Y aunque no era famoso por ser jonronero, sus 177 jonrones en esa década solo fueron

superados por otros diez jugadores. Y estaba en sexta posición por CI con 862.

"Lo increíble de Clemente es que puede batear cualquier tipo de lanzamiento", dijo Juan Marichal, as de los Gigantes de San Francisco. "No me refiero solo a *strikes*. Puede batear una pelota al nivel de sus tobillos o de sus orejas". ¿Cuál es la única forma de que no batee un *hit*? "Haz rodar la pelota por el suelo", fueron las célebres palabras del jugador de los Dodgers, Sandy Koufax.

En 1961, la temporada que siguió a la victoria de los Piratas en la Serie Mundial, Roberto consiguió un promedio de bateo de .351. Fue el mejor promedio de la Liga Nacional en esa temporada. Tuvo el mejor promedio de la liga tres veces en cuatro temporadas, comenzando en 1964. En 1966, conectó veintinueve jonrones, la mejor marca de su carrera, y lo seleccionaron Jugador Más Valioso de la Liga Nacional.

Roberto integró el juego Todos Estrellas de la Liga Nacional todos los años de la década de 1960. La única excepción fue en 1968, cuando las lesiones le impidieron jugar treinta partidos. Aun así, ganó un Guante de Oro ese año por su juego en el jardín derecho por octavo año consecutivo. Al final, Roberto ganó un Guante de Oro en doce temporadas consecutivas.

Mientras tanto, fuera del terreno, la vida de Roberto cambiaba.

En enero de 1964, Roberto regresó a Puerto

Rico y conoció a Vera Zabala. Vera era secretaria en un banco del gobierno en San Juan. También era de Carolina, el pueblo de Roberto. Vera era inteligente, hermosa y compartía la pasión de Roberto de ayudar a los demás. Ella se dirigía a una farmacia, cuando Roberto se fijó en ella. Vera entró a la farmacia y detrás fue Roberto. Empezaron a conversar.

Al principio, Vera no quería salir con Roberto. El padre de Vera era muy estricto y no quería que ella saliera con nadie. Sin embargo, Vera aceptó la invitación para ir a verlo jugar en un partido en San Juan. Luego, él pasó por su oficina para llevarla a almorzar. Al poco tiempo, estaban comprometidos para casarse.

Menos de un año después de conocerse, Roberto y Vera se casaron, en noviembre de 1964. Fue prácticamente un día feriado en Carolina. Su primer hijo, también llamado Roberto, nació en 1965. Luego llegó Luis, un

año más tarde. Y Enrique, el tercero, nació en 1970.

También en 1970, los Piratas se mudaron para un nuevo parque: el estadio Three Rivers. Habían jugado más de sesenta años en Forbes Field. El 24 de julio de 1970, los Piratas celebraron la Noche Roberto Clemente en el estadio Three Rivers. Los Piratas querían homenajearlo por todos los años de magnífico juego.

Por supuesto, Vera y los niños estaban esa noche. Y también sus padres, Melchor y Luisa.

Melchor tenía ochenta y siete años y nunca se había subido a un avión. Pero no iba perderse el gran día de su hijo.

Desde el micrófono que habían instalado en *home* esa noche, Roberto observó el estadio Three Rivers repleto de aficionados.

Miró al jardín derecho y vio cientos de espectadores en pavas, el sombrero de paja blanca que usaban los trabajadores azucareros en los campos de Puerto Rico.

Miró hacia atrás y vio a Melchor y a Luisa, a Vera y a los niños.

Empezó a hablar... pero no pudo. La emoción lo atenazaba.

Estaba sobrecogido por la multitud que era el triple de la habitual en un juego de los Piratas. Sobrecogido por la cantidad de puertorriqueños que habían volado hasta allí porque no se contentaban con mirar el homenaje en la televisión o escucharlo en la radio, desde su

tierra nativa. Sobrecogido por la presencia de su familia, que siempre había sido tan importante para él.

Roberto se serenó y habló. Esa noche fue un "triunfo para nosotros, los latinos", dijo. "Creo que es motivo de orgullo para nosotros, los puertorriqueños, así como para todos los caribeños, porque todos somos hermanos".

El equipo le entregó a Roberto muchos regalos, placas y trofeos. Los aficionados contribuyeron e hicieron una donación a nombre de Roberto al Hospital Infantil de Pittsburgh. Y los dueños de los Piratas anunciaron un fondo especial para pagar la educación universitaria de los hijos de Clemente.

Entonces, Pittsburgh salió al terreno y venció 11-0 al equipo visitante, los Astros de Houston. Como para darles las gracias a los aficionados una vez más, Roberto hizo dos sencillos y atrapó espectacularmente la pelota dos veces en el partido.

Premio Guante de Oro

Desde 1957, Rawlings, el fabricante de guantes de béisbol, ha otorgado cada año Guantes de Oro a los mejores jugadores defensivos de la Liga Nacional y de la Liga Americana. Para cada liga, se entrega un Guante de Oro a un lanzador, un receptor, un primera base, un segunda base, un torpedero y un tercera base. Se otorgan tres Guantes de Oro a jardineros sin importar que jueguen en el jardín izquierdo, derecho o central.

Ningún jardinero ha ganado más Guantes de Oro que Roberto: doce en total. Solo el gran jardinero Willie Mays, que jugaba jardín central, ha igualado esa marca.

Por un
mundo mejor

En 1970, Roberto estaba en su temporada
dieciséis en las grandes ligas. El número de
jugadores de béisbol latinos estaba aumentando,
y todos admiraban al hombre que había sido el
primer gran jugador latino.

Juan Marichal, de los Gigantes, era amigo
de Roberto. Y también Orlando Cepeda, de los
Bravos. Y Octavio "Cookie" Rojas de los Filis.
Y los hermanos Alou: Felipe, Jesús y Matty. Y

compañeros de equipo como José Pagán y Manny Sanguillén.

Esos jugadores, de Puerto Rico, Cuba, la República Dominicana y otros países, compartían idioma, costumbres y cultura. Estar con ellos cuando venían a Pittsburgh, seguramente le recordaba a Roberto sus días de infancia en Carolina, cuando la familia y los amigos convertían la casa de los Clemente en un sitio de reuniones alegres. Estos no eran sus hermanos y primos **biológicos**, pero eran como una familia extendida.

Más allá de eso, Roberto sabía que, hablándoles y escuchándolos, podía ayudar a los jugadores latinoamericanos. Él había llegado primero. Sabía los obstáculos que enfrentaban. Ese tipo de sensibilidad a las necesidades de otros y los deseos de ayudar definían la vida de Roberto fuera del terreno.

"Si tienes la oportunidad de mejorar las cosas y no lo haces, estás perdiendo tu tiempo en esta Tierra", dijo Roberto una vez.

Por supuesto, no tienes que ser una superestrella de béisbol para mejorar el mundo a tu alrededor. Pero la posición de Roberto le ofrecía una plataforma desde la cual aprovechar esa oportunidad.

Una forma en que Roberto soñaba con ayudar era construyendo una Ciudad Deportiva en

Carolina. Roberto imaginaba la Ciudad Deportiva como un lugar donde los niños pudieran practicar deportes y aprender lecciones importantes para la vida. Lo que más le gustaba era trabajar con jóvenes. De hecho, en la mayoría de las fotos de Roberto en el terreno de béisbol, aparece completamente serio. Tiene puesta su "cara de juego". Pero cuando trabajaba con niños en campamentos, o le enseñaba a un niño a sostener un bate o ir al bate, se muestra radiante.

A dondequiera que iba, su prioridad era ayudar a los niños. Eso quería decir campamentos

de béisbol en Puerto Rico o visitas a hospitales en las ciudades de la Liga Nacional. Como casi todas las estrellas de béisbol, Roberto recibía muchas cartas de aficionados. Él mismo las revisaba. Muchos de los sobres contenían tarjetas de béisbol o fotografías que le enviaban los aficionados. Él las firmaba y se las devolvía. Pero había muchas notas que venían de hospitales y de niños enfermos. Roberto clasificaba las notas y las cartas según la ciudad de la Liga Nacional de donde vinieran. Cuando los

Piratas iban de gira, llevaba paquetes para cada ciudad. Por ejemplo, en un viaje de nueve partidos en el Medio Oeste, llevaba un paquete para Milwaukee, otro para Cincinnati y otro para Chicago. En vez de enviar autógrafos por correo, Roberto se los llevaba personalmente a los niños en los hospitales.

A Roberto le encantaban esas visitas. Y no solo ayudaba a los niños. Su esposa Vera una vez le dijo a un reportero que Roberto prefería llegar tarde a una reunión con el gobernador

que pasar de largo ante un extraño que necesitara ayuda para cambiar la goma de su auto.

En la casa de Roberto, en Río Piedras, Puerto Rico, la gente entraba y salía constantemente. Querían que Roberto hablara en el Club Rotario o una institución benéfica necesitaba su ayuda. Las peticiones eran interminables. Roberto nunca podía decirle que no a la gente que lo necesitaba. Quería cambiar las cosas.

También en el terreno cambió las cosas. Aunque ya había cumplido los treinta y seis años (que se considera bastante para un jugador de béisbol) en 1970 tuvo una de sus mejores temporadas. Consiguió un promedio de bateo de .352, el segundo mejor de su carrera. Los Piratas llegaron a los *playoffs*, pero perdieron antes de llegar a la Serie Mundial.

La temporada siguiente fue aún mejor. Roberto bateó .341 y se colocó de cuarto entre todos los bateadores de la Liga Nacional. Los Piratas llegaron otra vez a los *playoffs*, y esta vez se enfrentaron a los Orioles de Baltimore en la Serie Mundial.

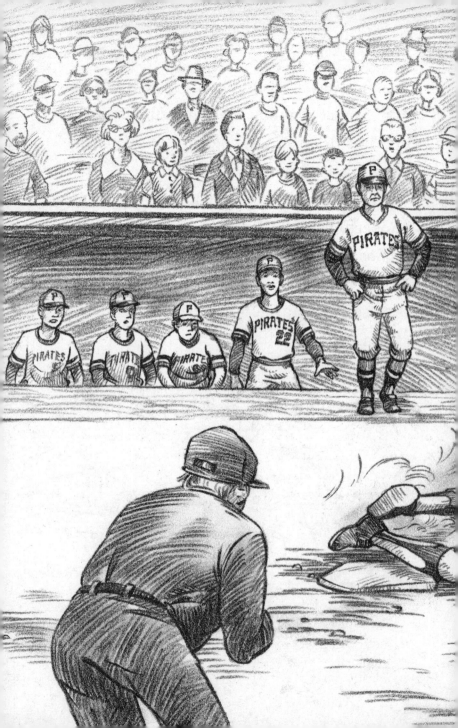

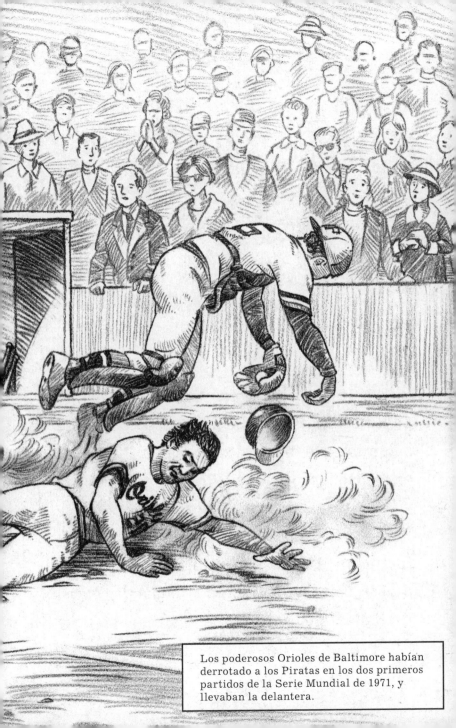

Los poderosos Orioles de Baltimore habían derrotado a los Piratas en los dos primeros partidos de la Serie Mundial de 1971, y llevaban la delantera.

En 1971, los Orioles tenían un equipo poderoso. Excepto Pittsburgh, todo el mundo auguraba que iban a derrotar a los Piratas. Y en efecto, los Orioles abrieron ventaja con victorias en el primer y segundo juego que se llevaron a cabo en el estadio Memorial de Baltimore. Algunos de los Piratas más jóvenes pensaron que iba a ser difícil cambiar las cosas. Para ganar una Serie Mundial, un equipo tiene que ganar cuatro juegos. Como Pittsburgh había perdido los dos primeros, estaban obligados a ganar cuatro de los cinco juegos que quedaban, mientras que Baltimore solo tenía que ganar dos más. "No se preocupen", le dijo Roberto a su equipo. "Yo me encargo del resto de los partidos".

En efecto, la Serie Mundial de 1971 fue la oportunidad de Roberto de brillar y mostrarles a todos lo buen jugador que era.

En el tercer juego, los Piratas llevaban ventaja de 2-1 en la parte baja de la séptima entrada. Empezando la entrada, Roberto entró a batear contra el lanzador Mike Cuéllar.

Hizo girar los hombros como siempre lo hacía. Estiró la espalda, como siempre lo hacía. Sostuvo su enorme bate en alto e hizo un *swing*, como siempre lo hacía, solo que esta vez devolvió la pelota sin mucho impulso en dirección al montículo.

Rápidamente, Mike fue a agarrar la pelota y se volteó para tirarla a primera. Contra la mayoría de los jugadores, hubiera sido un lanzamiento rutinario para sacar un *out*. Pero Roberto Clemente nunca fue como la mayoría de los jugadores. Cuando Mike se volteó, vio a Roberto, que ya contaba con treinta y siete años, disparado hacia primera. Sorprendido, Mike se apuró en tirar, provocando que el primera base John "Boog" Powell se saliera de la almohadilla para atrapar la pelota. ¡Roberto fue quieto en primera!

No mucho después, con un jonrón de tres carreras de Bob Robertson, Roberto le dio la vuelta al cuadro y anotó. Los Piratas ganaron el partido 5-1. El turno al bate de Roberto en el tercer partido fue un momento clave en la Serie Mundial de 1971. Pero no fue el único. También jugó fantásticamente con el bate, el

brazo y el guante, y fue nombrado Jugador Más Valioso de la Serie Mundial. Ningún jugador latino había ganado antes ese honor.

"Yo sabía que era muy bueno", dijo Brooks Robinson, tercera base estrella de los Orioles. "Pero no sabía que era tan bueno".

En la cuarta entrada del decisivo séptimo juego, Roberto volvió a batear contra Mike Cuéllar. Roberto bateó un jonrón sobre el muro del jardín central. Pittsburgh llevaba la delantera y no iba a permitir que se la arrebataran. Los Piratas ganaron el juego 2-1 y ganaron la Serie cuatro juegos a tres. Volvían a ser campeones mundiales.

Durante la Serie, Roberto bateó de *hit* en los siete juegos para un promedio de .414. Hasta el día de hoy, el esfuerzo de Roberto es recordado por los aficionados como una de las actuaciones más fantásticas en una Serie Mundial.

Después del juego final, los reporteros

asediaron a Roberto en los vestidores. Le acercaron micrófonos a la cara y empezaron a gritar preguntas.

"Antes de decir nada más, me gustaría decirles algo a mi madre y a mi padre en español", dijo Roberto en inglés. Y después, dijo en su idioma nativo: "En el día más grande de mi vida, para los nenes, la bendición mía, y que mis padres me echen la bendición".

Cuatro días después, a Roberto le dieron la bienvenida de un héroe en Puerto Rico. El gobernador declaró un día feriado para los empleados del gobierno y Roberto se vio rodeado en el aeropuerto de gente que lo felicitaba. Luego se dirigió al palacio del gobernador. Allí le dieron una placa y una medalla de oro para premiarlo por su actuación en la Serie Mundial.

Tragedia

En un partido contra los Mets de Nueva York
en 1972, Roberto bateó su *hit* número 3.000 en
su carrera en las Ligas Mayores.

La marca de los 3.000 *hits* es uno de los
números mágicos del béisbol, como un promedio
de bateo de .300, o veinte victorias en una
temporada, o quinientos jonrones en la carrera.
Solo diez jugadores alcanzaron esa marca antes
que Roberto. Y solo diecisiete más después de él.

Esa marca era un objetivo importante para
él. Como de costumbre, habló del logro en

términos de lo que significaba para otras personas. "Quería llegar a esa cifra por lo que significaba para muchos latinos", dijo. "Mi gente no había tenido la oportunidad de llegar ahí".

El 30 de septiembre de 1972, Roberto abrió la parte baja de la cuarta entrada bateando contra el zurdo Jon Matlack, de los Mets. Roberto pegó su *hit* número 3.000 con una línea entre el jardín izquierdo y el central. Llegó a segunda consiguiendo un doble y saludó con la gorra a los aficionados. La dignidad de la pose ha quedado plasmada en una de las fotografías más famosas de su carrera.

Nadie lo sabía en ese momento, pero ese doble de Roberto contra Matlack llegó al final de su última vez al bate en la temporada regular. Todavía quedaban algunos días por jugar, pero los Piratas querían dejar descansar a Roberto para que estuviera listo para los *playoffs*.

Roberto es el único jugador que ha terminado su carrera con 3.000 *hits* exactos.

Después de que los Rojos de Cincinnati eliminaran a los Piratas en los *playoffs*, Roberto regresó a Río Piedras. En las primeras horas de la mañana del 23 de diciembre, un terrible terremoto ocurrió en Nicaragua. El desastre de magnitud 6,2 devastó el país. Ochenta por ciento de Nicaragua quedó arrasada. Murieron cinco mil personas. Más de un cuarto de millón se quedó sin hogar.

Roberto sentía un lazo personal con Nicaragua. Hacía un mes había estado en Managua, la capital, como director del equipo puertorriqueño en la Serie Mundial Amateur. Había caminado por las calles y le había hablado a la gente. Les daba ánimo a los jóvenes y dinero a la gente que lo necesitaba. Como siempre, si alguien necesitaba algo y Roberto podía ayudar, lo hacía.

Así que cuando las autoridades puertorriqueñas le pidieron que encabezara la ayuda humanitaria a Nicaragua, por supuesto que aceptó. Consecuente consigo mismo, no se limitó a prestar su nombre para la labor benéfica. También trabajó. El día de Nochebuena y el de Navidad se los pasó cargando ayuda para Nicaragua, pero cuando se enteró de que la ayuda no estaba llegando a los damnificados, decidió ir él mismo en el siguiente avión.

El 31 de diciembre de 1972, víspera de Año

Nuevo, Roberto abordó el avión DC-7 que salía del aeropuerto de San Juan para llevarles ayuda humanitaria a las víctimas del terremoto.

El cargamento nunca alcanzó su destino. El avión, que ya había tenido problemas mecánicos, estaba sobrecargado. Apenas habían despegado, el piloto trató de volver. Pero era demasiado tarde. El avión se estrelló en el océano. Roberto, el piloto y tres personas más que estaban a bordo murieron. Nunca encontraron su cuerpo.

La trágica muerte de Roberto ocurrió justo tres meses después de su hazaña en el terreno de béisbol. La noticia del accidente fue devastadora para su familia y sus amigos, por supuesto, pero también para el mundo del béisbol y para todo Puerto Rico. Roberto había cambiado las vidas de muchas personas en todo el mundo.

En Puerto Rico, el gobernador electo, Rafael Hernández Colón canceló su toma de posesión y declaró tres días de duelo nacional. En los

Estados Unidos, el presidente Richard Nixon emitió una declaración: "El mejor monumento que podemos construir en su memoria es contribuir generosamente al alivio de aquellos que él trató de ayudar". Nixon personalmente donó un cheque de $1.000 (cerca de $5.550 hoy en día) para el Fondo a la Memoria de Roberto Clemente, destinado a ayudar a las víctimas del terremoto en Nicaragua.

"No solo hemos perdido un gran jugador de béisbol, sino también un gran ser humano", dijo Joe Brown, director general de los Piratas. Brown iba a volar a Puerto Rico poco después de Año Nuevo para contratar a Roberto para su décimonovena temporada con los Piratas. Roberto no tenía planes de retirarse. Aunque había cumplido treinta y ocho años en agosto de 1972, bateaba .312 y era un Todos Estrellas. Había ganado su duodécimo Guante de Oro. Y todavía estaba en espléndida forma.

Cuatro días después de la muerte de Roberto, la Asociación de Escritores de Béisbol de Estados Unidos (BBWAA, por sus siglas en inglés) pidieron que el Salón Nacional de la Fama del Béisbol llevara a cabo una elección especial para Roberto. El período normal de espera después del último partido de un jugador, antes de que pueda ingresar al Salón de la Fama, es de cinco años. Esta era la segunda vez que la BBWAA pedía algo así. La primera fue por Lou Gehrig, que murió en 1939 de la enfermedad que ahora lleva su nombre.

Roberto recibió los votos necesarios en la elección especial. El 6 de agosto de 1973, Roberto Clemente Walker se convirtió en el primer jugador latino en ingresar al Salón Nacional de la Fama del Béisbol.

Placa del Salón de la Fama

El ingreso de Roberto Clemente al Salón Nacional de la Fama del Béisbol, el 6 de agosto de 1973, fue un día de orgullo para los latinoamericanos. Sin embargo, hubo un error. La placa decía "Roberto Walker Clemente" en vez de "Roberto Clemente Walker".

La costumbre, en los países donde se habla español, es que el apellido de soltera de la madre siga al del padre. No solo es una distinción legal, sino una forma de honrar a la parte materna de la familia. Todo el mundo tiene dos apellidos y las mujeres, muy raramente, cambian el suyo al casarse. La placa fue corregida en el año 2000.

Legado

Hoy en día, en Pittsburgh, los visitantes cruzan el puente Roberto Clemente cuando van al estadio PNC, donde juegan los Piratas. Fuera del estadio, ven una estatua de Roberto Clemente. Dentro del estadio, ven el Muro Clemente en el jardín derecho. (El muro tiene veintiún pies de alto, y el número del uniforme de Roberto era el 21). En el barrio de Lawrenceville, en Pittsburgh, los visitantes contemplan fotografías y otros recuerdos en el Museo Roberto Clemente.

En San Juan, Puerto Rico, se celebran conciertos y eventos deportivos en el Coliseo Roberto Clemente, que no está muy lejos de la Ciudad Deportiva Roberto Clemente, en Carolina.

En el Bronx, en Nueva York, los pacientes reciben cuidados en el Centro Roberto Clemente. En Illinois, Maryland, Michigan, Nueva Jersey, Pensilvania y otros estados los estudiantes aprenden en escuelas llamadas Roberto Clemente. Incluso en la lejana ciudad de Mannheim, Alemania, se juega en el Terreno Roberto Clemente.

De hecho, por todo el mundo, parques, museos y escuelas tienen el nombre Roberto Clemente.

Los estudiantes en esas escuelas son los mismos niños que acuden a los estadios de pelota y ven en las Ligas Mayores a jugadores como el puertorriqueño Carlos Beltrán, el venezolano Carlos González y el dominicano Albert Pujols. Es un tributo a Roberto que ya no sea noticia que esos jugadores sean de países latinoamericanos.

A finales de la década de 1940, el único latino que jugaba regularmente en las grandes ligas era el receptor cubano Fermín "Mike" Guerra. En 1965, en la época en que Roberto ya se había convertido en uno de los mejores jugadores de béisbol, había cuarenta y ocho jugadores latinos.

Hoy en día, más de uno de cada cuatro jugadores de Ligas Mayores nació en América Latina.

Consecuentemente, mientras más latinos haya en las grandes ligas, más jugadores latinos hay en el Salón Nacional de la Fama del Béisbol. Después de su muerte, Roberto fue el primer latino que ingresó en él. Desde entonces, nueve jugadores latinos le han ido a hacer compañía, incluyendo los puertorriqueños Orlando Cepeda (1999) y Roberto Alomar (2011).

La víspera de Año Nuevo del año 2012 marcó el cuarenta aniversario de la muerte de Roberto. Hoy se le recuerda por su estilo único al bate, las espectaculares atrapadas que hacía en los jardines, su labor de beneficencia y su compasión por los demás. Y de aquí a cuarenta años, puedes estar seguro de que Roberto seguirá siendo recordado por la huella positiva y duradera que dejó en el mundo.

10 cosas

que debes saber sobre
Roberto Clemente

1 Roberto Clemente nació en Puerto Rico, en el pueblo de Carolina, el 18 de agosto de 1934.

2 Pasó su infancia jugando béisbol con pelotas hechas de trapos enrollados y usando como bates palos de escoba o ramas de árboles.

3 La madre de Roberto quería que estudiara ingeniería, pero él soñaba con convertirse en un jugador de béisbol profesional, como los que veía jugar en las Ligas Invernales de Puerto Rico.

4 Solo tenía dieciocho años cuando jugó por primera vez béisbol  profesional en Puerto Rico. A los diecinueve, firmó un contrato con la organización de Ligas Mayores de los Dodgers de Brooklyn.

5 En 1955, con solo veinte años, Roberto jugó su primer partido de Ligas Mayores con los Piratas de Pittsburgh.

6 La temporada de 1961 fue un año importante para Roberto. Fue la primera vez que ganó el título de bateo como el jugador con el mejor promedio en la liga. También ganó el premio Guante de Oro como uno de los mejores jugadores defensivos de los jardines en la Liga Nacional. Este fue el primero de doce Guantes de Oro que ganó en doce años consecutivos.

7 Roberto se casó con Vera Zabala en 1964. La pareja tuvo tres hijos: Roberto, Luis y Enrique.

Roberto alcanzó su *hit* número 3.000 en 1972 en la que resultó ser su última vez al bate en temporada regular.

Murió en un accidente de aviación el 31 de diciembre de 1972, mientras trataba de llevar ayuda humanitaria a las víctimas de un terremoto en Nicaragua.

Se pasa por alto el período normal de cinco años de espera para aprobar el ingreso de un jugador al Salón Nacional de la Fama del Béisbol. Roberto ingresa **póstumamente** en el mismo 1973.

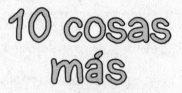

10 cosas más

que te gustaría saber

1   A Carolina, el lugar de nacimiento de
    Roberto en Puerto Rico, se le llama
    Tierra de Gigantes.

2   Todos los años, las Ligas Mayores de
    Béisbol presentan el premio Roberto
    Clemente al jugador que "demuestre
    los valores que Clemente exhibió en
    su compromiso con la comunidad
    y su comprensión del valor de ayudar
    a los demás".

3 Roberto ayudó a los Piratas a ganar la Serie Mundial dos veces durante su carrera.

4 Ningún jugador de los Piratas se ha puesto la camiseta número 21 después de Roberto.

5 Los Piratas jugaron en el estadio Three Rivers durante las tres últimas temporadas de Roberto (1970–72). El estadio Three Rivers (Tres Ríos) se llama así porque fue construido cerca de donde los ríos Allegheny y Monongahela **convergen** y forman el río Ohio.

6 Dos de los hijos de Roberto, Roberto y Luis, también jugaron béisbol profesional. Pero sus carreras en las ligas menores terminaron debido a lesiones.

7 El Museo y Salón Nacional de la Fama del Béisbol en Cooperstown, Nueva York, tiene una exhibición permanente llamada "Carácter y Valor", de la cual forman parte estatuas de Roberto Clemente, Lou Gehrig y Jackie Robinson.

Cuando Roberto ingresó al Salón
Nacional de la Fama del Béisbol en
1973, ingresó también Monte Irvin,
el jugador profesional que se había
hecho amigo de Roberto cuando
Roberto era un niño.

 Los Piratas ahora
juegan en el
estadio PNC en
Pittsburgh. El muro del jardín derecho
mide veintiún pies de alto, en honor
al número del uniforme de Roberto.

 Para muchos de los aficionados
de los Piratas, Roberto todavía
se conoce simplemente como
"el Grande".

Glosario

afinidad: una relación armoniosa

barrio: cada una de las partes en que se dividen los pueblos

biológico: parientes directos

converger: unirse

debut: primera aparición

discriminación: prejuicio o comportamiento injusto hacia otros basado en edad, raza, género, etc.

emigrar: cambiar de lugar con el cambio de estaciones

guayabo: árbol de la guayaba, una fruta tropical que es amarilla o verde por fuera y blanca o roja por dentro

improvisado: algo que funciona como sustituto de la cosa real

injusticia: falta de justicia

innovación: una nueva idea o invención

machete: cuchillo grande de hoja pesada

novato: un participante de una actividad o deporte organizado que está en su primer año

póstumamente: que ocurre después de la muerte

rural: un ambiente campestre

segregación: la separación de una raza, clase o grupo étnico

único: singular, extraordinario

Lugares que visitar

¿Estás interesado en aprender más sobre Roberto Clemente y la historia del béisbol? Tanto si los visitas en línea como en la vida real, ¡revisa estos lugares que te ayudarán a cubrir todas las bases!

Salón Nacional de la Fama del Béisbol y Museo, Cooperstown, Nueva York
El sitio oficial del Salón de la Fama es un tesoro de la historia del béisbol.
baseballhall.org

Estadio PNC, Pittsburgh, Pensilvania
El hogar actual de los Piratas de Pittsburgh.
pittsburgh.pirates.mlb.com/pit/ballpark /index.jsp

El Museo Clemente, Pittsburgh, Pensilvania

Hogar de la mayor colección de objetos dedicados solamente a Roberto Clemente.

clementemuseum.com

Bibliografía

¡Béisbol!: Pioneros y leyendas del béisbol latino,
Jonah Winter, Lee & Low Books, 2001.

Clemente!, Willie Perdomo, Illustrated by Bryan
Collier, Henry Holt and Company, 2010.

Roberto Clemente (Baseball Hall of Famers),
Robert Kingsbury, Rosen Publishing
Group, 2003.

Roberto Clemente (Baseball Legends), Peter C.
Bjarkman, Chelsea House Publications, 1991.

Roberto Clemente (Hispanics of Achievement),
Thomas W. Gilbert, Chelsea House
Publications, 1991.

*Roberto Clemente: Pride of the Pittsburgh
Pirates*, Jonah Winter, Illustrated by
Raúl Colón, Atheneum Books for Young
Readers, 2005.

Índice